Une gardienne pour Étienne!

**Un conte de Robert Soulières
illustré par Anne Villeneuve**

Les 400 coups

Une gardienne pour Étienne
a été publié sous la direction de Danielle Marcotte.

Conception graphique et montage : Labelle & fille
Correction : Monelle Gélinas

© 1998 Robert Soulières, Anne Villeneuve
et les éditions Les 400 coups
Montréal (Québec) Canada

Pour l'édition française
© 2000 Les 400 coups-France
Dépôt légal — 2ᵉ trimestre 2000

ISBN 2-84596-005-0

Loi 49-956 du 16 juillet 1949 sur les publications destinées
à la jeunesse

TOUS DROITS RÉSERVÉS
Imprimé au Canada
sur les presses de Litho Mille-Îles ltée
en mars 2000

À mon grand ami Roger Poupart,
le meilleur gardien au monde...
quand la gardienne n'est pas là !

Et à Marie-Claire
qui a subi
mes premières expériences
comme gardienne.

Aujourd'hui, Marilou est débordée !
Dix gros toutous à laver, à sécher,
à brosser et à peigner.
Sans compter les huit minous à dorloter
et une mouffette... qui vient d'entrer !
Et la journée est loin d'être terminée !

De son côté, Victor est bien embêté.
Un article à rédiger avant le souper,
ce n'est pas très compliqué.
Un article sur les dinosaures,
c'est un sujet en or.
Mais aujourd'hui les mots ne viennent pas !
– Est-ce que je peux t'aider, papa ?

Marilou arrive en courant à la maison
pour embrasser son beau fiston
et dire des *je t'aime* à son Victor
qui vient de régler le sort des dinosaures
en trois coups de crayon.
Ciel, qu'il est bon !

– Qu'est-ce qu'on fait ce soir, mon trésor ?
demande Victor.
– On pourrait manger au restaurant, dit Marilou,
et aller ensuite au cinéma voir *Les monstres fous*.
– C'est super ! Appelons vite une gardienne pour Étienne.
– Très bien, je vais téléphoner tout de suite à Hélène...

Hélène fait toujours peur à Étienne
avec ses histoires de magiciennes,
de diables et de dragons.
Elle lui lit aussi des contes de fées mignons
où les carrosses se changent en grenouilles
et les princesses en citrouilles.

– Quoi ! Hélène est partie en voyage !
Ce n'est pas grave, je vais appeler Madeleine...

Madeleine passe toute sa soirée
à bâiller et à tricoter,
une maille à l'endroit
en buvant du lait froid,
une maille à l'envers,
une bouchée de camembert.

— Comment ! Madeleine participe
à un concours international de tricot !
Pas de chance, essayons du côté de Bruno.

Bruno perd souvent son temps
étendu sur le divan
à regarder la télévision
sans se soucier de notre garçon.
Bruno est plutôt du genre paresseux...
et comme gardien, ce n'est pas fameux.

— Quoi ! Bruno est au cinéma.
Ça ne me surprend pas !
Tant pis, je vais téléphoner à Bastien.

Bastien, c'est un garçon bien,
mais il insiste toujours pour venir avec son chien.
Avec son gros, son énorme labrador
qui jappe très très fort.
Hélas ! Étienne en a une peur bleue,
c'est ça qui est malheureux.

– Chez le vétérinaire à cette heure-ci !
On frôle la catastrophe, sapristi !
Peut-être que j'aurai plus de chance auprès d'Hubert.

En plus d'avoir un air drôlement rigolo,
Hubert bouffe tout ce qu'il y a dans le frigo :
pommes, tourtière, fromage, pizza et salade.
Il y aurait de quoi être malade !
Mais non, Hubert digère tout, tout, tout.
Et le pire, c'est qu'il est gros comme un pou.

— Qu'est-ce que vous dites, une indigestion ! !
Quelle déveine !
Dans ce cas, je vais téléphoner à Violaine.

Ah ! Violaine, en arrivant, elle saute sur le téléphone
pour discuter avec son amie Simone.
Ça dure généralement des heures et des heures.
Surtout si elle raconte ses malheurs.
Et s'il y avait une urgence...
si Étienne avalait la tortue Hortense ?

— Est-ce que j'ai bien compris !
Elle reçoit ses 22 cousins et ses 12 cousines !
Zut de flûte !
Il ne reste que grand-maman Lucille...
C'est notre dernière chance.

Pauvre Lucille, c'est plus fort qu'elle,
c'est le triomphe du sommeil...
Dès que sonnent huit heures et demie,
elle ferme les yeux pour la nuit.
Mais Étienne ne dort pas encore,
car Lucille ronfle comme une fanfare.

— Ah ! je vois, elle est partie au concert
avec son nouvel ami Albert.
En désespoir de cause, crotte de crotte,
je vais essayer de joindre Charlotte !

Dès que nous sommes partis
Charlotte reçoit en catimini
son ami Rémi jusqu'à minuit.
Un bisou par ici, un bisou par là,
ils n'arrêtent tout simplement pas !
C'est l'amour fou.
C'est beau et c'est doux.
Et Étienne voit tout, tout, tout !

— Quoi ! Charlotte a déménagé à Sainte-Perpétue.
Catastrophe, la soirée est fichue !
Adieu ciné et resto.
Tout ça, c'était trop beau !
Alors, restons ici bien au chaud.

— Tiens, on sonne à la porte...

— Bonsoir tante Philomène !
Quel bon vent vous amène ?
— Je passais dans le coin et j'avais envie
de prendre des nouvelles de mon bel Étienne.

— Pourquoi n'iriez-vous pas au resto et au ciné,
ça vous changerait les idées, vous avez l'air découragés !
Moi, j'ai tout ce qu'il faut sous la main
pour garder Étienne jusqu'à demain...

Fin